KB103700

괜찮다 울지마라

발행	2024년 05월 09일
저자	선우보
펴낸이	한건희
펴낸곳	주식회사 부크크
출판사등록	2014,07,15.(제2014-16호)
주소	서울 금천구 가산디지털1로 119 SK트윈테크타워 A동 305호 (주)부크크
전화	1670-8316
E-mail	info@bookk.co.kr
ISBN	979-11-410-8445-5

www.bookk.co.kr

* 저작자 의도로 맞춤법 및 띄어쓰기를 변경한 경우가 있습니다.
* 본 책에는 작고하신 鄭東泳 院長님의 서화 1점, 芝峰 李貞姬님의 서예와 그림 10점과
  Rembrandt의 The Return of the Prodigal Son이 수록되어 있습니다.

괜찮다
울지마라

선우보詩集

[시인의 말]

한참을 살고 나서야 겨우 나를 마주했고 시를 쓰면서 비로소 나를 뚜렷이 이해하기 시작했다. 나름대로 애쓰며 살았다고 변명하곤 했지만, 내 젊은 시절은 제멋대로 산 세상살이에 불과했다. 그 삶은 트라우마가 되어 내 안에 깊숙이 자리하고 있었다. 마음짓 말짓 그리고 몸짓으로 스스로 힘들게 만들었다는 것을 깨달았다. 못된 짓으로 남들의 가슴을 아프게 했고 상처를 준 사실도 잘 알았다.

세상을 떠나는 날까지 용서를 구하기 어려운 처지이니 참으로 슬픈 형국이다. 하지만 조금씩이나마 사람답게 변해가고 있는 나를 발견하면서 그나마 다행이라고 위로하며 산다. 이제는 별다른 재간이 없으니, 그저 조심 또 조심하고 하루하루를 보듬으며 살 수밖에 없다는 생각뿐이다.

꿈을 이루는 날까지 뚜벅뚜벅 걸어가야만 한다.

이민 생활을 하면서 내놨던 시편들을 정리하다가 이렇게 책으로 묶어 세상에 펴내게 되었다. 부족함을 느끼지만, 한편으로는 두꺼운 겨울 외투를 벗는 듯 홀가분한 기분이다. 이른 봄인데도 불구하고 어젯밤에는 함박눈이 내려 온세상을 밝혔다. 새벽녘에 뒤뜰로 나가보니 푸른 잔디가 눈 속에서 환한 미소를 짓고 있었다. 만물이 생동하는 계절에 첫 시집을 출간하게 되어 기쁘다. 이 자리를 빌려 조언과 함께 시해설을 맡아주신 오봉옥 교수님께 감사의 말씀을 드린다.

마무리하며 두 사람의 얼굴이 떠오른다. 고약한 불효자를 위해 평생 기도하며 살다 돌아가신 어머님과 내 못된 모습을 가까이서 마주하고도 인내와 사랑으로 품어주며 자리를 지킨 아내다. 두 사람이 없었다면 지금의 나는 이 자리에 없을지도 모른다는 생각이 든다. 내가 사람답게 살 수 있도록 늘 한마음으로 붙들고 기다려준 두 분에게 이 시집을 바친다.

2024년 4월
선우보

[차례]

가나다

가없는 자비심(慈悲心)으로, 늘
나락(奈落)에 떨어진 이웃을 보살피며
다정다감(多情多感)하게 살아야 해

가슴으로 하는 사랑

가슴으로 하는 사랑은
의심하거나 계산하지 않으며
묻지도 않습니다
온전히 염원할 뿐입니다

가슴으로 하는 사랑은
슬퍼하거나 외로워하지 않고
드러내지도 않습니다
평온히 기다릴 뿐입니다

갓, 웨어 아 유?

추운 겨울날 새벽 4시 30분경. 출근길에 bus shelter를 지나는데, 어떤 사람이 시멘트 바닥에 웅크리고 누워있는 것이 눈에 띄었다. homeless guy인 것 같았다. 살펴보니 흐트러진 갈색 머리를 한 젊은이가 누워있는데, 그는 얇은 천으로 된 검정 상의와 파란색 하의 그리고 흰색 양말만 신고 있었다. 허리와 발목은 속살이 다 드러나 있었고, 신발도 신지 않았다. 그 순간, 그의 몸이 요동치는 바람에 나는 움찔하며 놀라고 말았다. 상체를 비틀다가 하체를 쭉 뻗더니 빠르게 수축하고는 격렬하게 떨었다. 아마도 추운 날씨 때문에 경련을 일으킨 것 같았다. 나도 모르는 사이에 내 눈이 촉촉해진 것을 느꼈다. 문득 이민 초기의 아픈 기억이 떠올랐다. 유난히 매서운 어느 겨울에 배달 일을 하러 나갔는데, 살을 에는 듯한 추위에 쩔쩔매다가 끝내 눈물을 쏟았던 기억이 되살아 난 것이다. 마음조차 저리고 무서웠으며 몹시 슬펐다. 나는 무심결에 shelter 안으로 들어가 $5를 꺼내 들고 소리쳤다. "이봐, 여기는 너무 추워! 일어나! 이 돈으로 맥도날드에 가서 따뜻한 걸 사 마시라고! 이대로 오래 있으면 큰일 난단 말이야!" 아무런 반응이 없었다. 나는 그의 얼굴 앞에 돈을 내려놓고 더 큰소리로 외쳤다. "여기에 돈이 있다고! 어서 일어나!"

그때 청년이 눈을 번쩍 뜨더니 날래게 돈을 집어 바지 주머니에 쑤셔 넣고는 바로 눈을 감았다. 순간적으로 일어난 일이었다. 나는 멍하니 그를 쳐다보다가 문을 열고 밖으로 나왔다. 몇 걸음을 내딛다가 문득 이런 생각이 일었다. "내가 그에게 겨우 $5를 준 거야? 이거 너무 인색한 거 아냐?" 나는 지갑을 열고 $20를 꺼내 그에게 되돌아갔다. 그리고 그의 얼굴 앞에 돈을 내려놓으며 소리쳤다. "여기 돈을 더 줄게! 빨리 일어나! 따뜻한 거 사 마시고 정신을 차리란 말이야!" 아무런 대답도 없었다. shelter를 돌아 나오는 데 여전히 불안해서, 나는 cellphone으로 call centre에 전화하여 peace officer를 보내달라고 요청했다. 운전하는 중에도 영 마음이 편치 않았다. "아이고, 참 불쌍한 인간이네! 저러다 얼어 죽으면 어떡해!" 그러다가, 나는 나도 모르게 허공을 향해 부르짖고 있었다. "Oh my goodness! God, where are you? Where are you? Where are you?" 나는 큰소리를 질러대며 화를 달래고 있었다. 이런 세상이 싫고, 이런 상황을 내버려 둔 신(神)이 원망스러웠다. 그러다가 길가의 세븐일레븐이 눈에 띄었다. 나는 얼른 들어가 hot chocolate 한 잔을 사서 shelter로 다시 돌아갔다. 그는 여전히 그 자리에 누워있었고, peace officer는 아직도 오지 않았다. "이봐 젊은이, 이거 hot chocolate이야! 빨리 따뜻한 걸 좀 마셔봐! 제발 좀 일어나라고!" 아무리 소리쳐도, 그는 움직이지도 반응하지도 않았다. 나는 그의 앞에 종이컵을 내려놓는 수밖에 도리가 없었다. 더 늦기 전에 일하러 가야 하는데도 불구하고 마음이 답답하고 우울해서 한 발자국도 움직일 수가 없었다. "이 상황에서 도대체 내가 무얼 어떻게 해야 하는 거야?" 그 순간에 갑자기 한 생각이 번뜩였다. "그래, 내 옷이라도 벗어서 덮어줘야겠구나! 잠깐이라도 따뜻하게 해주는 게 좋겠어!" 나는 얼른 입고 있던 파카를 벗어 그의 몸을 감싸주었다. 그러고 나서야, 한숨을 내쉬며 그 자리를 벗어날 수 있었다. 운전하며 갈 길을 재촉하는데, 반대편 저 멀리서 peace officer 차량이 달려오고 있었다. 이제는 되었다고 안심을 하면서도, 나는 또다시 중얼거리고 있었다. God, where are you?

개같이 벌어?

개같이 벌어서 정승같이 살면 된다고?
나는 소처럼 일하고 사람답게 살겠어!

고백

그 순간은
우연을 가장한 운명이었어
모든 게 변하였지
서서히 말이야
그로부터 기나긴 날을
숨죽이며 조심스레 살아야만 했지
한참 지나고 나서
조금씩 알게 되었어
모든 게 축복인 것을
선물인 것을
그리고 섭리란 것도 말이야
이제는 슬프지 않아
외롭지도 않아
모두가 사랑이란 걸 알았으니
감사할 뿐이야

괜찮다 울지마라

누군가
가슴앓이 안 하고 사는 이
있는 줄 아느냐
누군가
밤잠 설치지 않고 사는 이
있는 줄 아느냐

아니다
다들 그렇게 산다
너무 슬퍼하지 말고
외로움 타지도 마라
산다는 건
다 그런 거다

살다가
눈물 흘릴 일 생기면
공원에 나가 숲길을 걸어라
탁 트인 하늘을 보고
지저귀는 새소리를 듣고
작은 풀꽃도 보아라

한참을 걷다 보면
눈 녹듯 풀릴 게다
마침내 웃고 말 게다
시원해질 거다
그러니 너무
서러워하지 마라

국화한갱향(菊花寒更香)

당신께 물었더니
국화를 좋아한다 했죠

석 달 만에 결혼하고
아들 둘 기르며
바쁜 나날 보냈지요

이민을 꿈꾸며
국화가 담긴 한국화를
당신에게서 구했어요

마음 담긴 글귀를
그림 곁에 앉혀
정갈한 액자에 담았지요

캐나다로 이민 와서
바람처럼 살았습니다

아들 둘 분가하고
손자 손녀 셋이 되니

감사함 만 남았네요

은퇴할 날 가까와지니
저 액자 속 국화가
나를 위로하네요

곱디곱던 당신은
흰머리 쓸어 올리는
이쁜 할매 되었군요

소탈한 마음이 좋아서
결혼을 원했던 나
미안함 만 가득합니다

함께하지 않았다면
나 이렇게 살아 있을까
고마울 뿐 입니다

국화는 날이 찰수록
향기롭다고 하네요

초겨울 국화처럼
사랑 하나로 산 당신은

아름다운 사람 입니다

*註) 結婚 40周年 紀念 獻詩 - 죽는 날까지 갚아도 다 갚지못할 빚을 지고 사는 바보 같은 남편 愚步가, 이 못난 사람을 만나 지난 40년 동안 헌신하며 착하고 반듯하게 자식 농사를 잘 지은 아내 芝峰에게 드리는 拙詩 입니다. 2020년 12월.

그라문 된다

시장에서 아낙네가 이런 말을 했다.
"내가 싫은 걸 어찌 시키노?"

논어에서 공자님이 이런 말을 했다.
"己所不欲 勿施於人(자기가 하기 싫은 일은 남에게도 하게 해서는 안 된다.)"

성경에서 예수님이 이런 말을 했다.
"Love your neighbor as much as you love yourself. (네 이웃을 네 몸과 같이 사랑하라.)"

세 사람 하는 말 다 똑같은 기라.
무어시 다르노?

남 괴롭히지 말고 착하게 살면 되는 기라.
그라문 된다!

금시작비(今是昨非)

나는 오늘
달마가 왜 그렇게 두 눈을 부릅뜨고 사는지
잘 알았다

*註) 오늘은 옳고 어제는 그르다.

까치

아침마다
나를 찾아와
지저귄다

"절망하지 마.
포기하면 안 돼.
힘내서 살아!"

매일같이
나를 찾아와
타이른다

꾸준함에 대하여

생명의 양식이요
우주의 전형(典型)이다

정직한 표상이며
선의지에서 나오니
성품이 화평(和平)하다

몸소 정정당당해
신뢰가 견고하니
선관계(善關係)를 엮는다

자신감을 생성해
선순환을 이루니
안락(安樂)을 낳는다

실로 자유자재한
생명의 실성(實性)이다

나는 누구인가?

나는
고작해야
미운 짓 하며 살거나
고운 짓 하며 살거나
둘 중에
하나

나는 당신을 사랑하지 않았다

　나는 내 주장만 일삼고 당신의 얘기는 귀담아듣질 않았다. 당신을 향해 소리 지르고 눈을 부릅뜨며 윽박지르기 일쑤였다. 나 하나 믿고 의지한 당신을 자상하게 챙겨주지 못했다. 남들만큼 풍요롭게 해주지도 못했다. 일을 핑계로 바깥 생활에 묻혀 살기도 했다. 당신에 대한 걱정은 소홀히 하면서 내 걱정만 앞세웠다. 당신의 감정을 헤아리지 못하고 논리적으로 따지기만 좋아했다. 촌각을 다투며 치열하게 살아야 했는데, 게으름 피우며 살아 온 것 또한 부끄럽다. 남자답지 못해 배려심도 부족했다. 결혼하며 다짐했던 신뢰를 깨트리기도 했다. 내가 먼저 죽으면 당신이 얼마나 힘들지를 헤아리지도 못했다. 나로 인해 당신이 눈물을 흘리는 것을 자주 보았다. 끊임없이 당신의 사랑을 받으면서도, 난 당신에게 애절하지도 못했다. 당신에게 평생 못 갚을 만큼 죄를 짓고 살았다. 나는 왜 이렇게 당신을 아프게만 했을까? 상대가 원하는 것을 주는 것이 사랑이라는데, 나는 왜 그러지 못했을까? 그래, 분명하다. 나는 당신을 사랑하지 않았다.

나홀로

사람과 생명이 개똥만큼도 못한 대접을 받는 잔인무쌍한 세상이야. 내 머리와 손과 발 그리고 입으로 맞장구치며 세상과 어울리는 건 비겁하고 구차한 거야. 차라리 홀로 염원하며 묵묵히 살면 그만인 거야.

낙화(落華)

낙화로다 낙화로다
비바람에 낙화로다
애달픈나 어쩌라구
황망하게 떠나느냐

꿈이로다 꿈이로다
하룻밤새 꿈이로다
남겨진나 어찌두고
미련없이 가는게냐

허망하다 허망하다
지난일이 허망하다
만나지를 않는건데
정을주지 않는건데

꿈이로다 꿈이로다
세상만사 꿈이로다
다시만날 기약하며
이별노래 할수밖에

낙화로다 낙화로다
비바람에 낙화로다
다시만날 꿈을꾸며
무위춤을 출수밖에

눈꽃처럼

눈꽃처럼 천진한 마음으로
겸손하고 착하게 바라보며
온몸으로 정성껏 살았으면

눈꽃처럼 담백한 마음으로
너그러이 허물을 감싸주며
어우러져 둥글게 살았으면

눈꽃처럼 명랑한 마음으로
무구하고 즐겁게 내보이며
아름다운 빛으로 살았으면

단색화(單色畵)

발가벗은 널 마주하고
말없이 들어서서
붓 하나 들고
길 찾아 나선다
반복되는 놀림과
거칠어진 몸짓은
꿈속 물길 따라
멈추지 않는 자맥질
무수한 점 타고
선을 그리며
면을 다듬는
고독한 노동
느닷없이 드러난
신들린 춤사위
걷잡을 수 없이
땀구멍을 풀어헤친다
떨어지는 방울꽃은
고통을 잊는 묘약
감미로운
꽃망울 터지는 소리

하늘과 땅을 흔들고
신비한 율동은
꿈속 형상을 좇으며
우주를 수놓는다
감춤과 드러남이 어울린
극치를 찾아간다
한참을 걷다가
다 내려놓은 순간
홀연히 찾아온
자연을 닮은 신세계
걷잡을 수 없는
환희
안심
깊은 한숨을 쫓아
허무가 밀려오고
탯줄을 끊은 듯한
태고한 울음이
가슴을 파고든다
홀로
탄성을 터트리고
새 햇살 다가서는
창밖을 보며
큰 태양을 품는다

나도 모르게
창문을 열어젖히고
명줄처럼 질긴
아픔을 배설한다
맑고 찬 공기로
깊은 호흡을 하며
무심하게 돌아선다
네가 나를 보며
미소 짓는다

당신은 스님 같아요

새벽에 일어나
온몸 두드리며 정적을 깨고
백팔 배 수행하여
텅 빈 마음 찾은 후에
기도문 읊으며
하루를 여는
당신은 스님 같아요

탐 진 치
물리치겠다는
대원을 일으키고
지성 무식 정진하며
번뇌 망상 다스리다
누군가 찾으면
조용히 권선보시 하는
당신은 스님 같아요

단순하게 살겠다고
짧은 머리 고집하고
얼음판 걷듯이

조심조심 처신하다
밤이 되면
무릎 꿇고 참회하는
당신은 스님 같아요

동상이몽(同床異夢)

　오랜만에 아들이 전화했다. 출장을 나왔는데 잠깐 시간이 난다며 같이 밥을 먹고 싶다고. 내 얼굴에는 대번에 웃음꽃이 활짝 피었다. 가슴 뛰고 신이 나서 따뜻한 밥 한 끼 먹이려고 서두르는데, 아들은 굳이 외식하겠다고 우긴다. 이제는 엄마도 남이 차려준 음식을 즐겨도 된다며. 자식 이기는 부모 없다더니 결국 아들의 말을 따랐다. 식당에서의 짧은 만남은 순식간에 흘렀다. 아들은 용돈을 두둑이 챙겨주고 뿌듯한 기분으로 돌아갔지만, 나는 몹시 속상했다. 돈을 많이 쓰게 한 것 같고, 허섭한 음식만 먹인 것 같은 생각에 마음이 불편했다. 후회스러운 마음을 안고, 집으로 돌아오는 길에 다짐했다. 다음에는 어떤 일이 있어도 내가 만든 집밥을 먹이겠다고.

두려운 세상

계산을 쉽게 하겠다며
컴퓨터를 만들고
힘든 일은 하기 싫다며
로봇을 만들더니
끝내 추론하는 것도 거추장스러워
인공지능까지 만든, 너

만물의 영장을 자처하며
담차게 펼치는 신세계가
대체 무얼 위해
어디로 치닫고 있는지
두려운, 나

두 마음

이 세상이 아름답다고 하여 눈뜨고 들여다보니 다들 제 멋대로 제 생긴 대로 제 흥에 취해서 제맛을 쫓으며 제멋대로 성질부리며 참 미친 듯이 신나게들 산다 모두 남을 지나치게 의식하여 겉치레에 민감하다 비교하고 질투하고 무조건 경쟁에서 뒤처지지 않고 앞서려고 몸부림치며 막산다 정말 험악하고 뻔뻔하게들 산다 죄다 얼마나 소중한 존재인지도 잊은 채 어찌 살아야 하는지도 모른 채 제 마음 내키는 대로 그냥 산다 과연 답답하고 우울하게들 산다 온통 눈멀고 귀먹은 걸 모르는 채 자기에게조차 거짓말을 밥 먹듯 하며 아집에 빠져서 산다 진짜 한심하고 어이없게들 산다 그 꼴이 참으로 지저분하고 치사하고 유치하다는 생각마저 밀려든다 아 찾는 사람은 도대체 눈에 띄지 않으니 안타깝고 슬프다 눈물이 난다 그래서 이 꼴 저 꼴 보기 싫으면 차라리 눈 감고 귀 막고 그저 말없이 살라고 했던가 보다 하지만 내게 껌벅이는 두 눈이 멀쩡하게 있는 건 무슨 의미일까 하 생명이 붙어 있는 한 시절 인연 따라 만난 사람들과 더불어 살아야 하는데 어찌해야 할지 모르겠다 눈뜨고 살아야 하나 눈감고 살아야 하나 아니면 차라리

들꽃처럼

청초한 색깔과
은은한 향기 하나로
오롯이 사는
들꽃처럼

홀로 있거나
무리 지어 함께 있어도
늘 아름다운
들꽃처럼

기꺼이
제 것을 내주어
뭇 생물의 삶을 돕는
들꽃처럼

선한 숨결로
자연과 교감하며
우주를 품 안은
들꽃처럼

라즈베리(Raspberry)

  새콤달콤 라즈베리는 변화무궁 하다. 겨우내 차디찬 눈 속에서 바짝 마른 채 움츠려 지내다가, 봄 새 물기운을 맘껏 빨아올린다. 그리고 온 힘을 다해 줄기를 쭉쭉 뻗어 세운다. 어느새 하나둘씩 순을 열고 작은 망울과 하얀 꽃을 잔뜩 피운다. 여름이면 분주한 벌들과 친구 되어 생명의 기쁨을 나눈다. 뜨거운 햇볕을 가득 품고, 천둥 우박과 비바람을 맞으며 인고의 세월을 묵묵히 견딘다. 그러다가 새빨간 폭죽을 터뜨리며 화려한 축제를 펼친다. 새콤달콤 라즈베리는 후회 없는 삶을 누린다.

마음 주머니

나는
바보스러운 마음 주머니
품에 안고
산다

그녀는
덧셈 뺄셈만 할 줄 아는
순진한
원칙주의자

비우면
그만큼 만 채우고
채우면
그만큼 만 비우는

그녀는
덧셈 뺄셈만 할 줄 아는
단순한
완벽주의자

나는
바보스러운 마음 주머니
품에 안고
산다

마푸리 찬가

새해봄날 좋은때에
솜병아리 드러나니
아우러진 갯마을에
경사났네 경사났어

잔칫상 차려라
풍악을 울려라

노래하고 춤을추는
햇병아리 모양보소
우물쭈물 갈팡질팡
허둥지둥 안절부절

괘않다 괜찮다
힘내라 힘써라

시를쓰고 수필짓는
햇병아리 재간보소
가슴펴고 하늘보며
기운차게 뛰놀아라

뒷날엔 씨암탉
훗날엔 종지닭

새해봄날 좋은때에
솜병아리 드러나니
아우러진 갯마을에
경사났네 경사났어

잔칫상 차려라
풍악을 울려라

*註) 마푸리(북한어): 그해 처음 깬 병아리.

말씀을 외면한 속물(俗物)

겨울날 해 질 무렵. 찌푸린 날씨에 바람마저 불어 을씨년스럽다. 버스 정거장 벤치에 앉아있는데, 한 사내가 비치적거리며 내 앞으로 다가와 선다. 머리는 산발을 하고 꾀죄죄한 얼굴에 콧물이 길게 늘어져 있다. 초점 잃은 눈을 껌벅거리는 그는 사시나무 떨듯 두 손을 떨고 있다. 남루한 옷은 때가 잔뜩 묻어있고 지린내마저 나서 불결하다는 생각이 일어난다. 그는 멍하니 서서 물끄러미 나를 쳐다보기만 한다. 눈이 마주칠까 두려워 얼른 시선을 돌린다. 서서히 불쾌한 느낌이 나를 괴롭히기 시작한다. 왜 하필 나에게 와서 이럴까. 당황스러운 상황을 어떻게든 모면해 보려고 불쑥 내뱉은 말. "내가 뭘 도와줄 게 있니?" 말없이 나를 바라볼 뿐 답이 없다. 침묵만 흐르니 답답해서 못 견디겠다. "너 메디컬 서비스가 필요해서 그래? 응급차 불러줄까?" 여전히 무표정하게 나를 쳐다보기만 한다. 긴장감이 맴돌고 짜증마저 쌓여간다. 무언가 한마디 더 할 수밖에. "그럼, 뭐가 필요해? 왜 그러는데?" 그제야 그는 예상 밖의 답을 건넨다. "내가 무얼 원하는지 잘 모르겠어." 기가 막힌다. 아마도 정신 나간 사람일지도 모르겠다는 생각이 스친다. 그럼 어떻게 해야 하는 거지. 길게 호흡을 하면서 다시 할 말을 찾아 헤맨다. 마침내 엷은 미소를 머금고 차분하게 말한다. "어디로 가려고 하니?" 한참을 머뭇거리던 그가 더듬거리며 하는 한마디. "드롭 인 센터." 나는 그 자리를 벗어나고 싶은 충동에 얼른 버스표 한 장을 건네주며 말한다. "이 표 갖고 저기 가서 전철을 타. 그리고 시청역에서 내려. 거기서 두 블록 정도 걸어가면 될 거야." 그는 떨리는 손으로 버스표를 받아 한참을 들여다보더니 빙긋이 웃으며 나를 살펴보기 시작한다. 그 순간, 그가 슬금슬금 다가서면서 나를 안아주려는 듯 두 팔을 넓게 벌리는 게 아닌가. 나는 엉겁결에 뒤로 몸을 빼고 손짓을 하면서 급하게 말을 쏟아낸다. "괜찮아……. 아니 됐어." 거의 동시에 그의 말 한마디가 내 귀를 울린다. "아이 러브 유!" 숨이 탁 막힌다. 반사적으로 나온 나의 초라한 말 한마디. "신의 은총이 있기를……." 그제야 그는 뒤로 물러서서 옅은 미소를 지으며 내게 말을 건넨다. "당신에게도 신의 은총이 있기를 바래." 의외로 부드러운 그의 목소리가 나를 흔든다. 뒤돌아서서 어기적거리며 걸어가는 그의 어깨 너머로 붉디붉은 저녁노을이 흩어지며 쏟아져 내린다. 그가 길모퉁이를 돌아가서 시야에서 사라진 후에도 그 자리에 우두커니 서 있는 나. 허공 속에서 그를 떠올리며 먼 하늘을 보는 나는 허전하다. 그래, 나는 아직도 속물이다.

먼지처럼

바람이 손짓하면은
기꺼이 어울리면서

매일매일 순종하며
한결같이 살았으면
그날그날 어김없이
우직하게 살았으면
하루하루 내려놓고
바보스레 살았으면
미움받고 버려져도
담담하게 살았으면
쓸쓸하고 공허해도
고집스레 살았으면
언젠가는 스러져도
태연하게 살았으면

바람이 손짓하면은
기꺼이 어울리면서

몸이 말을 듣지 않는다고요?

오랜만에 누님과 형님을 뵙고 왔는데 마음 한구석이 묵직하다. 이젠 몸이 마음먹은 대로 안 움직인단다. 누님, 무릎이 아파서 걷는 게 어렵다고요? 그래도, 너무 불안해하지 마세요. 가슴이 미어져요. 형님, 숨쉬기가 힘들다고요? 너무 두려워하지 마세요. 나도 속상해요.

침대에 누워서 멍하니 잠을 청해 보지만 생각이 그치질 않는다. 잠을 자야겠다며 옆방으로 건너간 아내는 무슨 생각을 하고 있을까? 어쩌다 우리가 벌써 이만큼이나 늙어 버렸나? 우리도 머지않아 누님과 형님을 뒤좇을 텐데. 우리는 어떤 모습으로 늙어가다가, 어떻게 이별을 하게 되는 걸까? 밤은 깊어만 가는데 잠이 오질 않는다.

못된 목사들이여

가엾은 영혼들을 구원하겠다고
하나님께 맹세하고 목사직을 얻었으면
제발 제대로 살아 주시오
왜 그리 나쁜 일들만 골라서 하시오
뉴스 보기가 짜증 나고
이제는 구역질 마저 나고
화가 치밀어 오르니
도대체 어찌하란 말이오

오늘도 어김없이
성추행 성폭력 금품갈취
사유화와 가족 세습
당신들이 만든 더러운 소식이
온 세상을 오염시키고 있소
오직 사랑이신 예수님을 내세우고
가엾은 영혼까지 짓밟는 행위를
어떻게 저지른단 말이오

세상이 아무리 썩어간다 해도
성직자만큼은 달라야 하지 않소

순수한 마음으로 믿고 의지하며
교회를 찾는 성도들의 아픔을
헤아리고 보살펴주기는커녕
사리사욕에 빠져서
제 한 몸도 감당하지 못하는 사람이
어찌 목사 노릇을 한단 말이오

인면수심이란 말이 있소
사람과 짐승의 삶이 구분되니
이 말도 생겨나지 않았겠소
성직자는 지도자다워야지오
목사는 군림하는 자가 아니라
솔선수범하는 자가 아니겠소
제발 추악하게 살지 마시오

못된 목사들이여
예수 이름만 팔지 말고
오래된 성경 내용만 팔지 말고
사랑을 실천하는 목자가 되어
모범이 된 삶을 사시오
그게 싫으면
차라리 교회를 떠나시오

못된 승려들이여

전북 정읍 내장사
50대 승려가 서운해서
홧김에 술 마시고
대웅전에 불을 질렀단다

자비의 삶을 가르치는
부처님들도 다 타버렸단다
천년 묵은 고찰에 쌓인 염원도
불길에 다 타버렸단다

비통하다
깨달음을 추구하는 승려라면
청정해야 할 텐데
욕심이 없어야 할 텐데

그 못된 까까중은
수행승이란다
대체 무슨 수행을 했던 걸까
수행이 뭔지나 알았을까

본래 중생이란
제 흥에 미쳐 살다가
스스로 만든 감옥에 갇혀
헤매는 존재라더니

승려들이 은처(隱妻)질
도박(賭博)질 음주(飮酒)질
농화(弄火)질을 하면서
세상을 더 어지럽히는구나

못된 승려들이어
그런 짓 하지 마시오
그게 싫으면
차라리 절을 떠나시오

무얼 더 바라겠느냐?

몸을 성하게 하여
천금을 얻은 것처럼 살아라
맘을 편하게 하여
세상을 품은 것처럼 살아라
그리하면
하늘과 땅도 기뻐할 것이다

백설(白雪)

바람을 벗하며 로키산 넘어와
청정을 그리며 살며시 춤춘다

순결하게 순백하게
순수하게 순진하게

정성을 다하는 너를 닮았으면
온몸을 바치는 너를 닮았으면

법(法)

고집덩어리야, 무심해야 모든 게 편안한 법이다. 붙잡은 걸 놓아야 자유로운 법이다. 깨끗하게 살아야 뒷설거지가 없는 법이다. 정직하게 살아야 뒤탈이 없는 법이다. 꾸준해야 사랑을 얻는 법이다. 잊지 말아라!

버스에서 본 풍경

버스가 동네 어귀를 돌아서 간다. 엄마 손을 잡고 길을 걷던 어린 소녀가 다가오는 버스를 본다. 갑자기 얼굴에 함박웃음을 띠며 "Mommy, Bus! Bus!" 하고 소리친다. 그 아이는 신나서 버스를 향해 고사리손을 막 흔들어댄다. 운전기사가 소녀를 보고 속도를 늦추더니 미소를 지으며 창밖으로 손을 내밀어 흔든다. 엄마도 아이를 쳐다보더니 함께 손을 흔들며 환하게 웃는다. 버스는 다시 길을 따라 굴러간다. 저만큼 있는 버스 정거장에 중년 남성이 개를 데리고 서 있다. 버스가 가까이 다가서자 그가 개를 가슴 앞으로 번쩍 들어 안는다. 이내 개의 두 앞발을 붙잡고 치켜올려서 운전사를 향해 흔든다. "Hi! Hi!" 인사하며 발을 흔드는데 개는 어리둥절한 표정이다. 운전기사와 그는 서로 재미있는 표정을 지으며 미소를 나눈다. 다음 버스 정류장에 버스가 도착하고, 거기에는 80대로 보이는 할머니가 지팡이를 짚고 서 있다. 운전기사가 승강구를 낮춰서 도와주고 할머니는 조심스레 버스에 올라탄다. 할머니가 "How are you doing?" 하며 인사를 건네더니 운전기사 곁으로 바짝 다가선다. 그리고는 주머니에서 주섬주섬 무언가를 꺼낸다. 알사탕 하나를 집어 든 할머니가 "It's for you!" 하며 건넨다. 무더운 날씨에 지친 운전기사가

"Thank you!" 하며 감사한 마음을 전한다. 마침내 할머니가 자리에 앉자 훈훈한 기운이 감도는 버스는 다음 정거장을 향해 서서히 움직인다. 마음이 예쁜 사람들이 어울려 사는 풍경이 아름답다.

별리(別離)

어젯밤 꿈에 돌아가신 아빠를 만났단다. 엄마는 많이 지치고 나약해진 것 같다. 불안한 생각이 스쳤지만 않은 척했다. 오늘따라 유난히 슬퍼 보였다. 길 떠나는 사람처럼 말없이 집안을 살펴보는데 눈에는 기운이 하나도 없었다. 고개를 떨군 채 겨우 문지방을 짚고 일어나 방을 나섰다. 괜스레 이슬비까지 내려 마당을 축축하게 적시고 있었다. 스산한 바람도 차가웠다. 엄마는 다시 툇마루에 걸터앉더니 일어날 줄 몰랐다. 장독대와 텃밭 쪽을 물끄러미 쳐다보다가 하늘을 향하더니 한숨을 떨궜다. 문간에서 기다리던 나는 엄마가 몰래 눈가를 훔치는 걸 봤지만 얼른 시선을 돌렸다. 눈길을 내리깐 채 멍하니 바닥만 보고 기다렸다. 말기 췌장암이다. 나이가 많아서 수술도 위험하다 했지만 몇 날 며칠 엄마를 설득했다. 오늘은 수술하러 가는 날이다. 떠나야 할 시간이 벌써 지났는데 엄마의 발길은 앞마당 절구통만큼이나 무거워 보였다. 엄마는 무얼 생각하고 있었을까? 과연 내가 엄마 마음을 헤아리기나 했던 걸까? 나는 어쩌면 헤어질 수도 있다는 두려운 생각만 자꾸 밀려와 속이 답답하고 목만 아팠다. 아빠의 고혈압 때문에 갑작스레 사별하고 네 자식을 키우기 위해 홀로 온갖 고생을 감당해야만 했던 엄마. 눈물짓고 살아야 했던 수많은 날과 가난했던 지난 세월이 영화필름처럼 스쳐 갔다. 약에 지치고 세월에 꺾인 엄마와 병간호에 지친 나약한 나. 사랑싸움으로 혼탁했던 지난날들이 물밀듯이 밀려왔다. 가끔은 서로 억지웃음을 짓고 나서도 얼른 고개를 돌려 서로 외면했던 순간들도 있었다. 기억하기 싫은 우리 두 사람의 현실이었다. 수술실로 들어가는 엄마에게 괜찮을 거라고 걱정하지 말라고 말하며 손을 꽉 잡았던 그 짧은 순간이 마지막이었다. 사랑한다는 말도 변변히 못 한 채 엄마는 그렇게 떠났고 나는 세상에 홀로 남아 고아가 되고 말았다.

부끄러운 생물

꺾이고 부러지고
잘려 나가도
천진한 나무는
말이 없는데

꺾고 부러뜨리고
잘라 버리는
잔인한 너는
말이 많구나

부부(夫婦)

다들 한량없이 좋다며 결혼을 하는데
누군 결별하는 날까지 투쟁을 일삼고
누군 사별하는 날까지 자애를 베푼다
우린 어찌하며 살다가 이별을 고할까

불기자심(不欺自心)

　이렇게 산다는 것은 결국 남을 속이지 않거나 세상을 속이지 않으며 사는 것이다. 그리하면 하늘을 우러러 부끄럼 없고 떳떳하여, 항상 마음의 평화가 있을 것이요, 스스로 무애인이 되는 것이다. 우리가 살아가는데 안락한 삶을 떼어놓고 무엇이 더 소중하겠는가? 내가 평안하면 세상 또한 평안한 법이니, 이것은 곧 상생의 이치이기도 하다. 살면서 이것 이외에 무얼 더 찾으려고 애써야 하겠는가? 이런 삶을 철저히 실천하며 지내다가, 때가 되면 추호의 미련도 없이 저세상으로 돌아가는 것이 바로 사람이 가야 할 길일 것이다. 그러니 누구나 그 뜻을 받들고 지키며 살아야 하지 않겠느냐?

*註) 불기자심: 자기 마음을 속이지 말라는 뜻.

사람들

내일을 모르면서도
버젓이 욕심내며 꿈꾸는 멍청이들
세상을 모르면서도
무대를 뒤뚱대며 누비는 삐에로들
운명을 모르면서도
천만년 살겠다며 날뛰는 팔푼이들

사랑에 관하여

만나서 가슴이 뛰면 그만이니
사랑한다고 말하지 말아라
보기만 해도 좋으면 그만이니
사랑하냐고 묻지도 말아라

사랑으로

칠순을 훌쩍 넘긴 누님이
여름내 땀 흘려 가꾼
채소 한 바구니를 보내왔다

육순을 막 넘어선 아내가
변함없는 정성을 담아
푸짐한 저녁상을 차려줬다

흠모하는 사람의
온후한 감정을 더듬으며
미소를 품는다

곱디고운 누님과
아름다운 아내를
어떻게 붙따라야 할까

사모(思慕)

　사랑하는 어머님. 당신의 삶은 오로지 희생이셨으며, 온전한 사랑이셨습니다. 당신이 그립습니다. 일찍이 아버님께서 돌아가신 후, 그 길고도 험난한 삶의 여정을 슬픔과 고단함도 잊은 채 자식들만 보며 사셨습니다. 가냘픈 몸 지탱하며 의지와 믿음으로 외롭게 사셨습니다. 무심히 부처님께 의지하고 하늘을 순종하며 사셨습니다. 이 못난 자식은 당신 뜻을 헤아리지도 못했고, 귀 기울이지도 않았습니다. 그저 홀로 급급하게만 살았습니다. 머나먼 이국땅으로 떠나와서 병들고 쇠약해진 당신을 보살피지도 못했습니다. 마음고생만 더 보태며, 부끄럽게 살았습니다. 떠나신 후에야 간절히 당신을 생각했으며, 함께 안 계신다는 것을 알아차렸습니다. 부끄러움을 뼈저리게 느꼈습니다. 한결같이 반겨주시던 당신을 더는 마주할 수 없음을 알고서야, 비로소 천하의 고아가 되었음을 알았습니다. 뒤늦게 후회하고 또 후회했습니다. 용서를 빌고 또 빌었습니다. 어머님의 헌신적인 삶을 이제야 조금씩 헤아리며 지냅니다. 형제간에 우애 있게 살라는 말씀을 가슴속 깊이 새기고 삽니다. 이 세상 떠나시던 날, 제가 도착하는 순간까지 숨을 몰아쉬며 기다리시던 당신. 제가 처음이자 마지막으로 이마에 입맞춤하며 했던 말 그대로. 어머님, 당신을 가슴속 깊이 사랑합니다.

사진(寫眞)

　40여 년 전 어머님이 뒷마당에 있는 아궁이에 불을 지피고 옛 사진들을 모조리 태워 버리는 걸 본 적이 있다 다 부질없는 것들이라고 단호하게 말씀하신 기억이 있다 요즈음 아내가 몇 날 며칠을 서재에 들어가면 나오질 못한다 앨범을 꺼내어 사진을 펼쳐놓고 들었다 놨다 생각에 잠길 뿐 뒷정리를 못 하고 머뭇거린다 나는 어제도 오늘도 틈만 나면 셀폰을 꺼내 들고 거침없이 사진을 찍으며 산다

사진작가

자연의 품에서도
일상의 순간에도
한 조각 퍼즐을 찾는
눈빛이 형형하다

유일하고
완벽한 만남을
동경하며
기원한다

외따로
삶의 신비를 찬탄하고
신의 선물을 그리며
꿈길을 걷는다

산다는 건

살래믄 우째바라 우째함 조을낀지
그러케 가마니씀 안된다 하더카나
무조껀 움지게라 사는건 그런기다

새로운 일상(日常)

혼돈의 시대를 마주한 친구들아
세상은 빗장을 걸어 잠갔어도
마음의 문은 활짝 열어야 해

잠시 숨 고르고 눈을 감아 봐
이렇게 살아 있는 한
희망의 끈을 놓아선 안 되는 거야

소우주인 우리는
대자연과 한 몸임을 잊지 말고
하늘의 뜻이 무언지 생각해야 해

두려워하지 마

천지 만물은 끊임없이 변하는 거야
움직이지 않는 것은 죽은 것이고
쉼 없이 탈바꿈해야 살아남는 거야

우리에게 주어진 메시지는 단 하나
지금 당장 변화하라는 거야

망설이지 말고 행동을 하라는 거지

우리는 슬기롭게 이겨낼 수 있어
새로운 세상이 열렸으니
새롭게 살면 그만인 거야

새싹맞이

　화창한 봄날 냉동고에서 종이봉투를 꺼내 조심스레 들여다본다 모두 곤히 잠자고 있다 반가운 맘은 잠시뿐 잘 살아 줄까 걱정부터 앞선다 간절한 마음으로 쓰다듬는다 접시에 자박자박하게 생수를 붓고 키친타올로 요를 깐다 아기들을 살포시 눕혀놓고 이불을 덮어준다 자리를 찾아 기웃거리다 양지바른 창가에 방을 꾸린다 조바심쳐 가며 몇 날 며칠을 살피고 또 살핀다 지루하지만 미세한 숨결만은 느낄 수 있어 좋다 아침나절에 아내가 야단스럽게 소리쳐 부른다 얼른 좇아가 가리키는 곳을 보니 희고 여린 몸이 애 고부라져 꼬물꼬물 고개를 쳐들고 일어나 있다 신비롭다 서로 환한 웃음을 주고받으니 평화롭다 아침 이슬만큼이나 영롱하고 아름다운 순간이다 올해도 변함없이 멋진 드라마를 펼치는 너희들이 사랑스럽고 더없이 자랑스럽다

*註) 새싹 맞이: 새싹을 맞는 일 또는 새싹을 맞으며 함께하는 놀이란 의미로, 필자가 만든 새말.

새해에는

부귀를 쫓으며 더럽히지 말고,
양심을 따르며 깨끗하게 살아!

흡족을 꿈꾸며 허덕이지 말고,
자족을 즐기며 떳떳하게 살아!

육신에 얽매여 쩔쩔매지 말고,
마음을 가꾸며 편안하게 살아!

서글픈 자화상

언텍트(Untact)란다
꼴 보기 싫고
말 섞는 게 싫단다

물건 사고 싶으면
온라인으로 들어가
맘대로 고르고
돈 먼저 내란다

정해준 곳에서
집어가든지
그게 싫으면
문 앞에 던져놓겠단다

언텍트란다
공감 같은 건 필요 없고
각자 살면 된단다

석불(石佛)이 되고 싶어라

솔숲을 병풍 삼고
먼바다 펼쳐놓은 채
천연스레 서 있는
석불이 되고 싶어라

무심 삼매에 들어
제 몸이 다 닳도록
중생 성불을 간구하는
석불이 되고 싶어라

잔잔한 눈빛과 미소로
진리를 설파하며
온 누리를 품에 안은
석불이 되고 싶어라

세모 정담

한 해가 가고 새해가 온다고
모두 요란스럽게 분주하다
어제는 갔고 내일은 오지 않았으며
오늘만 있을 뿐인데

만난 적도 없는 절대자를 향해
밤하늘엔 폭죽이 터지고
부자 되고 오래 살게 해달라고
우러러 소리를 지른다

힘겨운 사람들을 생각하며
무릎을 꿇고 기도할 시간인데
그들과 함께하겠다고
다짐해야 할 시간인데

수월(水月)처럼

경허의 맞상좌
수월은
흐르는 강에 뜬 커다란 달

구전된 이야기 하나—
두만강 기슭에 초막을 짓고 살았으며
땅에 떨어진 벼이삭과 배춧잎을 모아 말려서
산짐승 들짐승 먹이로 주고
일광산 고개에 손수 만든 주먹밥과 짚신을 놓아
조국을 떠난 유랑민을 도왔단다

구전된 법담 하나—
"도를 닦는 것은 마음을 모으는 거여.
별거 아녀.
하늘천따지를 하든지,
하나둘을 세든지,
주문을 외든지,
무엇이든지 한 가지만 가지고
끝까지 공부혀야 하는겨."

누구든 가슴속에
둥근 달 하나 품고 살면 그만이다
수월처럼

*註) 백성호 선생의 글을 읽고.

순잎 이야기

큰손자가 통학버스를 타고 초등학교로 등교하던 첫날. 건강하게 잘 커서 입학을 했으니 기억에 남을 만한 이벤트를 하나 해주고 싶었다. 고민을 거듭하다가 작고 귀여운 안개꽃 다발을 건네주기로 했다. 시간에 맞추어 아내와 함께 버스 정거장으로 찾아갔다. 손자가 잠시 후 도착한 버스에서 내리면서 엉거주춤한 자세로 엄마를 찾아 두리번거렸다. 얼른 그 녀석 앞으로 다가가서 눈높이를 맞추며, 꽃다발을 가슴에 안겨주었다. "네가 참 자랑스럽구나." "너를 많이 사랑해. 알지?"라고 힘주어 말했다.

늦은 밤 서재에 앉아 중국 시인 아이칭(艾靑)의 시집 '들판에 불을 놓아'를 읽었다 그의 시론에 이런 글이 실려 있었다. "시인은 진실을 말해야 한다." 이 한마디가 내 가슴을 얼마나 후련하게 해주었는지 모른다. 그런 믿음 하나로 시를 쓰며 세상을 호흡하다가 간 선배 문인. 그에게서 여린 안개꽃 한 다발을 건네받은 기분이 들었다.

시선(視線)

　줄을 친 거미인 양 호시탐탐 기웃거린다 몸뚱이 늪에 빠진 것도 모른 채 쉴 새 없이 쫓는다 붙잡은 끈을 놓지 못하고 매달린다 여우들은 사납게 밀치고 늑대들은 상냥하게 당긴다 숨 막히는 싸움질 끊임없는 변주와 헤픈 몸짓 처연한 늑대는 울면서 연신 헛발질을 한다 서로 업을 쌓는 도적질을 반복한다 헛걸음질 뿐이다 모두 한 품에서 태어나고 더불어 숨 쉴 뿐 다를 게 하나도 없다는 걸 외면한 채 되풀이하며 되풀이하며 능란하게 놀이한다 아무 일도 아닌 것처럼 태연하게 절묘한 예술이라며 속이고 또 속인다 태엽이 어김없이 풀리는 것도 잊은 채 오늘도 또 헛발길을 옮긴다 그게 제대로 사는 것이란 믿음으로

시인의 꿈

순수함을 가지니 얼마나 아름다운가
진실함을 지키니 얼마나 아름다운가
후덕함을 나누니 얼마나 아름다운가

신망(信望)과 사랑

세상을 바꾸는 건 신망과 사랑인데
신망이 싹트는 건 꾸준함 때문이고
사랑이 싹트는 건 간절함 때문이다

아는 사람이 자살했다

까마귀가 까악 깍 깍 울어댄다
세상은 요지경이라더니
이젠 저 검은 새조차 비웃는다

그가 산속으로 몰래 들어가 자살했다
개 팔자만도 못한 게 인간의 삶이라더니
참 나약하고 구차스럽다

온통 썩은 냄새가 진동하는 세상
서로 자신의 영욕만 따지니
싸움의 고통과 흔적만 난무한다

여인이 한을 품으면
오뉴월에도 서리가 내린다더니
변명이 넘치고 구경꾼들만 북적인다

맘이 시리고 아픈 밤이다
알다가도 모를 것이 인간이라고 하더니
속과 겉이 너무나 다르다

순간의 선택이 온 세상을 뒤흔든다
아무리 생명이 제 것이라고 해도
그걸 버린다고 죄가 없어지는 건 아니다

내가 만든 역사는 내가 책임져야 하는 법
응징하겠다며 숨어서 호소하는 것 또한 옳지 않다
나서서 고백하지 않는 건 비겁하다

자존심보다 더 가치 있는 건 솔직함이다
많은 이들은 이걸 피하려 하지만
그래도 바른 돌파구란 걸 인정해야 한다

대체 누구를 원망하고 의지한단 말이냐
치열하게 오직 내 탓만 하며 살 일이다
이걸 되새기며 죽지 말고 모두 살아야 한다

上不怨天下不尤人
(위로는 하늘을 원망하지 않으며 아래로는 다른 사람을
탓하지 않는다)

아뿔싸!

오랜만에
아내와 공원으로 나갔다
무심결에
들꽃 한 송이 꺾어 들고 거닐었다
시름없이
길섶에 던져버렸다
무심하게

아직도, 엄마 생각

어젯밤에도 새벽 2시쯤 잠에서 깨었다. 몸을 이리저리 뒤척이는데 잠은 오지 않고, 이런저런 생각만 떠오른다. 칠십이 지척인데, 아직도 어머님 생각이 나면 가슴이 뭉클하다. 가끔은 눈가에 이슬마저 맺힌다. 그저 미안하고, 부끄럽고, 후회되어서, 우울하고 서글프다. 지금, 어머님은 어디서 무얼 하고 계실까? 이렇게 그리워하는 걸 행여나 알기는 하실까?

안 그렇소?

무얼 고른다고
까탈스레 고집하나
둥글둥글 살지

뭐가 부족해서
지나치게 욕심내나
고만조만 살지

뭐가 급하다고
덤벙대며 나서시나
조심조심 살지

뭐가 다르다고
틀렸다며 따지시나
대충대충 살지

얼마 살겠다고
아웅다웅 다투시나
알콩달콩 살지

알아야 하는데

왜 연꽃을 들어 보였는지
왜 십자가에 못 박혔는지
알아야 하는데

괜히 성전만 찾아다니고
허깨비만 받들면 안 되는걸
알아야 하는데

일상이 달라지지 않으면
모조리 헛짓이라는 진리를
알아야 하는데

어느 사진작가를 생각하며

사랑하는 그대여,
당신은 빛으로 수놓은 아름다운 세상을 누리는구나!
오, 행복한 사람이여.
당신은 참신함을 찾아 세상을 순례하는구나!
오, 꿈많은 사람이여.
당신은 우연한 만남조차도 귀하게 여기는구나!
오, 겸손한 사람이여.
당신은 특별한 순간을 붙잡기 위해 늘 깨어있구나!
오, 부지런한 사람이여.
당신은 작품을 공유하며 사람들과 소통하는구나!
오, 성실한 사람이여.
당신은 자연과 함께하는 삶을 추구하고 감사하는구나!
오, 슬기로운 사람이여.
당신은 평화로운 세상을 바라며 공감을 나누는구나!
오, 착한 사람이여.

사랑하는 그대여,
당신이 가는 길마다, 사랑과 기쁨이 늘 함께하기를 소망
하노라!

어찌 살아야 할까?

등산하면서
정상을 향해 겁겁히 걸으면
더 힘들고
발끝만 보며 찬찬히 걸으면
덜 힘들다

생활하면서
서두르며 다급히 살면
불안하고
한결같이 차분히 살면
평안하다

인생길에서
내일만 쳐다보면
해칠 수 있고
오늘을 바라보면
누릴 수 있다

예수님, 오늘 당신께서 죄인입니다.

예수님, 1,000여 명이 넘는 어린이들이 학대받고 실종되거나 뚜렷한 표식도 없이 매장된 사실이 밝혀졌습니다. 그 뉴스로 인하여 온 나라가 충격과 슬픔에 잠겼습니다. 도시마다 수많은 Canadian 들이 거리고 나와 'Every child matters!'를 부르짖으며 울분을 토하고 있습니다. 저는 오늘 새벽에 다운타운 교회 앞마당에서 끔찍한 모습을 보고 큰 충격을 받았습니다. 당신이 빨간 페인트를 뒤집어쓰고 침통한 모습으로 서 있었기 때문입니다. 예수님, 지난날 이 땅에서 기독교인들이 저지른 만행에 대한 책임은 오롯이 당신에게 있다는 것입니다. 그래서 당신은 오물을 덮어써야 마땅하다는 것입니다. 목자이신 당신을 따르던 어린양들이 정치와 결탁하고 교세 확장에만 눈이 어두웠습니다. 그들은 원주민 기숙학교 어린이들에게 잔혹한 폭력을 행사하였으며, 주검까지도 버려진 사실이 명백하게 드러났기 때문입니다. 거기에는 당신께서 그토록 애타게 가르치신 'Unconditional Love'가 존재하지 않았습니다. 참으로 안타깝고 슬픈 역사적 사실입니다. 예수님, 지난날 한국의 어버이들이 자식들을 앞혀놓고 그랬듯이, 당신께서 몸소 회개하는 모습을 드러내 주셔야 하겠습니다. 당신의 바짓가랑이를 걷어 올리고 회초리를 들어, 종아리를 향해 온 힘을 다해 내리쳐 주소서. 당신의 살이 터지고 피가 철철 흐를 때까지 매우 때려주소서. 당신의 자녀들이 잘못을 깨닫고, 당신의 보혈을 받아 마시게 하소서. 그들이 새 생명으로 부활할 수 있도록 도와주소서. 인류의 죄를 대속(代贖)해 주시는 예수님이시여, 당신의 무한한 사랑으로 은총을 베풀어 주소서. 아멘.

외로운 새

운명 따라 태어나서
한동안 새둥주리 맴돌다가
신세계를 찾겠다고
멀고 먼 길을 떠났다
어버이와 형제는 까맣게 잊은 채
짝 만나고 새끼 키우느라
날고 또 날기만 했다
세월은 덧없이 흐르고
노쇠한 어미가 숨을 몰아쉴 때야
허겁지겁 찾은 구만리길
통탄스런 고향 앞에서
무정했던 세월 속의 나를 대할 뿐
변변한 말 한마디 못 하고
손만 부여잡고 쩔쩔맸다
어렴풋이 한몸을 느낄 때쯤
어미는 질기디질긴 명줄을 내려놓았다
모질고도 한 많은 세상
천년만년 사는 듯 넋 놓고 지내다
허망하게 갈라지고 말았다
주체할 수 없이 쏟아지는 눈물

엄마 엄마 소리쳐 부르다 지쳐
가슴에 묻고 돌아설 수밖에 없었다
눈물을 삼키고 또 삼키며
텅 빈 하늘을 올려다보니
가슴이 아리기만 하다
허무한 세상
보금자리를 잃은 황망한 새는
어미가 떠난 빈 둥지에서
홀로 외롭다

이 못된 사람들아

맑은 공기가 그리워 공원으로 갔다 상쾌한 마음에 걸음이 가볍다 저기 주인을 따르는 개도 신나서 꼬리를 흔들며 겅중겅중 뛴다 나들이 나온 사람들이 하나하나 그림이 되어 넓은 풀밭과 잘 어울리니 보기가 좋다 덩달아 기분 좋게 걷는데 이게 웬일인가 여기저기 널린 개똥이 자꾸 걸음짓을 방해한다 여러 번 되풀이하다 보니 짜증이 나고 은근히 화가 치민다 남 앞에서는 개를 친자식만큼 여긴다며 껴안고 쓰다듬으며 별별 우아한 짓을 다 하면서 남이 안 볼 때는 교양 없는 짓을 서슴없이 하는 고약한 사람들이 의외로 많다 참으로 한심한 사람들이다 이 못된 사람들아 개는 너희를 믿고 똥을 싼다 제발 좀 치우고 가라 개똥 치울 생각 없으면 기르지도 말고 공원으로 데리고 나오지도 말아라 이 못된 사람들아

이민 독백

모든 게 싫다며
처음부터 새로 하겠다며
고향을 등졌습니다
낯선 땅의 하루하루가
가시밭길이었지만
참았습니다

거울을 마주하니
어머님은 떠나셨고
형제마저 곁에 없습니다
이제야
친구조차 없다는걸
알았습니다

어젯밤에도
서툰 몸짓말 하며
꿈길을 헤맸습니다
더 늦기 전에
우리말 하는 땅에 살다
묻히고 싶습니다

인생? 별거 아냐.

인생은 생로병사가 윤회하는 고통으로 이뤄져 있다 하고, 공(空)이라고도 해. 인생무상이란 말도 있지만, 너무 심각하게 여길 필요는 없어. 현실은 생각보다 단순해. 일상을 살펴보면, 누구나 숨 쉬고 옷 입고 먹고 자고 배설하고 일하고 놀고 쉬면서 살다 가잖아. 배고프면 먹고 졸리면 자고 마려우면 싸고 추우면 걸치고 더우면 벗으면 돼. 돈이 필요하면 일해서 벌고 지치면 쉬었다 가면 되는 거니까, 머리 싸매고 고민하거나 너무 열받을 것도 없는 거야. 생자필멸이라니 언제 갈지도 모르잖아. 그래서 오늘이 소중한 거지. 오죽하면 그 옛날에 호라티우스가 카르페 디엠(Carpe diem)을 부르짖었겠어. 참된 말씀이야. 앞날은 미리 걱정할 것도 없고, 지난날은 지나치게 후회할 것도 없어. 그저 오늘에 충실하면 되는 거야. 사필귀정이란 말도 있지. 그처럼 정직하게 살면 모든 일이 잘 이뤄진다는 믿음 하나로 살면 되는 거야. 그리고 우린 혼자가 아니란 걸 기억해야 해. 누구든 태어날 때부터 자연과 부모와 인연을 맺고 시작하지. 평생을 세상 만물과 관계하며 살아야 하니까, 두루두루 사이좋게 지내는 게 중요해. 모양이나 생각이 다르다고, 서로 옳고 그름을 따지는 건 다 부질없는 일이야. 다름을 인정하며 겸손하게 살아야 해.

대추나무 아래서 어느 농부가 이런 말을 했어. "새가 하나 먹고, 사람이 하나 먹고, 땅이 하나 먹고. 열매도 그렇게 나눠 먹어야 해요." 옳은 말씀이야. 더불어 산다는 마음으로, 선순환에 의지하며 살아야 한다는 거지. 사람은 마음먹은 대로 산다는 말이 있어. 성격이 팔자라는 말도 있으니, 모든 건 나로부터 출발한다는 말이겠지. 내가 스스로 궁리하고 움직여서 세상을 만들어 간다는 말이기도 해. 좋은 말씀이야. 과연 조건 없는 사랑이란 무얼까? 진정한 용서란 무얼까? 어제를 성찰하고 나를 변화시키기 위해 하루하루 정진하며 살라는 뜻일 거야. 오늘이 부활하기 가장 좋은 날이란 믿음으로 이 세상을 떠나는 날까지 성실하게 살아야 한다는 거겠지. 나비효과(Butterfly effect)란 말도 있어. 세상살이는 작은 몸짓 하나도 엄청난 영향을 미친다는 거지. 바른 말씀이야. 그러니 나부터 먼저 모든 일에 조심조심하며 살아야 하는 거야. 그리고 사는 게 아무리 힘들어도 훔치고 속여도 성공하면 된다는 말은 귀 기울이지 말아야 해. 그건 악순환을 만드는 거니까, 서로에게 상처만 남기게 되잖아. 결국 옳지 않은 걸 안 하면 잘 사는 게 아닐까? 내가 다짐한 약속은 빈틈없이 지키며 살아야 해. 물론 다들 흔들리며 살지만, 좌고우면하느라 시간을 헛되이 쓰면 안 되는 거야. 늘 스스로 선택한 바른길로 가려고 힘써야 해. 날마다 기도하고 항상 감사하며 언제나 기쁜 마음으로 살아야 해. 그렇게 착

하고 솔직담백하게 살면 되는 거야. 별거 아냐. 그냥 심플
(Simple)하게 살면 그만인 거야.

전쟁을 멈춰라!

블라디미르 푸틴, 그리고 베냐민 네타냐후,
우리 자매형제들이 너희들의 천인공노할 만행을 비난하
는 소리가 들리느냐?

이제 전쟁을 멈춰라!

너희 때문에,
피눈물을 흘리는 노인들이 날마다 춥고 긴 밤을 지새운
다.
너희 때문에,
가족을 잃은 아이들과 부녀자들이 절망과 공포에 떨며 길
을 헤맨다.
너희 때문에,
무고한 젊은이들이 싸움터에서 피를 흘리고 죽어간다.

블라디미르 푸틴, 그리고 베냐민 네타냐후,
상복을 입은 우리 형제자매들이 너희들을 저주하며 통곡
하는 소리가 들리느냐?

당장 전쟁을 멈춰라!

조심(操心)하며 살 일이다

무심코 내뱉은 말이 가슴에 상처를 새기고, 무심히 저지른 짓이 남의 선량한 삶을 아프게도 한다. 생각 없이 사는 짓은 황당하고, 상상할 수도 없는 일이다. 하지만 나이가 들수록 무심결로 사는 게 습관이 되는 건 아닌가 하는 생각에 점점 더 일상을 경계하며 살게 된다. 세상살이 하루하루가 묵직하게 다가오고 두려움마저 느껴지는 게 요즈음 현실이다. 늘 깨어 있으라는 예수님 말씀이 자주 떠오른다. 작고하신 이북 출신의 장인어른이 "골을 써라. 골을 써!"라고 하신 말씀도 생각난다. 세상에 태어나서 참사람으로 살다 가려면, 항상 조심하며 살 일이다.

진정한 용기

산악인 김홍빈이 히말라야의 브로드피크(8,047m) 정상을 정복하고 하산하다가 조난했어. 사경을 헤매고 있는데, 지나가던 등산가 15명 정도가 아무런 관심도 기울이지 않고 지나쳤다고 해. 산에 오르는 전문가들이 위험에 처한 동료를 구해주지 않고, 내버려 둔 채 간 거야. 누구든지 제 목숨을 유지하기도 힘들 때는, 남을 도울 겨를이 없는 게 인지상정이겠지. 하지만 한 사람이 나서서 최선을 다했더라고. 그는 러시아인 비탈리 라조야. 조건 없는 사랑을 몸으로 보여준 거지. 그가 이런 말을 남겼어. "SNS에서 당신들은 8,000m 고봉을 등정한 용감한 사람으로 보일 테지만, 나는 그저 사람의 목숨을 경시한 미천한 인간이라고 말하고 싶다." 참으로 멋진 사람이야. 그래, 진정한 용기는 바로 자비심이고 사랑인 거야.

참극(慘劇)

대한민국
2022년 12월 16일 저녁

힘없는 백성들은
젊은이들의 떼죽음을 분개하여
피눈물을 흘리면서
추모제를 지내고

권력을 쥔 대통령은
함박웃음으로 점등식을 하고
방짜유기 술잔을 사면서
축제를 즐기는

어처구니없는
참극이 펼쳐졌다

청맹(靑盲)

나는
편견에 사로잡힌 우물 안 개구리
나는
오만방자한 야인(野人)
나는
타인의식형 미물(微物)
나는
자기중심적 삼류(三流)
나는
겉으로만 멀쩡해 보이는 쭉정이

그래서

나는
매일 부활해야 하는 애련한 존재

칠십팔 세 대장장이

　탕- 탕 탕 탕 오십여 년째 두드린다 부모님 일찍 잃고 가진 건 내 몸뚱이뿐 어떻게든 살아야 하겠기에 무슨 기술이라도 배워야 했다 아무것도 모른 채 덥석 쇳일을 잡았다 가난한 내게 시집와서 지질하게 고생만 한 아내 아끼려고 애쓴 당신 있어 지치고 힘들어도 외롭진 않았다 견뎌야 한다는 생각 하나로 두들기고 또 두드렸다 새끼들 하고 먹고 살려고 쉼 없이 내리쳤다 아직도 사람들이 찾아주니 고맙고 아직도 세상이 날 원하니 그저 기쁜 마음으로 망치질한다 이제는 손 놓고 쉬고 싶어도 신바람 나는 쇳일이 좋아 몸 성할 때까지 일하려고 오늘도 담금질하는 나는 칠십팔 세 대장장이다

*註) TV 프로그램을 시청하고 쓴 글.

코로나 블루스

이상한 세상이야
날마다 어정쩡 해
믿을 구석 하나 없고
두려움만 더해가

가슴이 답답해
이 나약함을 어떡해
혼돈에 빠져서
막막함만 쌓여가

왜 이리 무서운지
힘들어 죽겠어
하루하루가 벅차서
불안해 죽겠어

내가 잘못 살았나
삶이란 원래 이런 건가
도대체 알 수 없고
서글픔만 넘쳐나

그래 잘못한 거야
멍청하게 산 거야
욕심에 매달려
허둥대며 산 거야

정신 차려야 해
완전히 달라져야 해
매일 다짐해야 해
새롭게 살아야 해

오늘을 잊지 말고
조심하며 살아야 해
온 힘을 다해서
자연과 함께해야 해

내가 일부라는 걸
그들과 한 몸이란 걸
절대로 잊지 말고
살아야 해

트라우마(Trauma)

　코비드 팬데믹 중 일하다가 충격받은 일들이 반복되었어 스트레스가 쌓이고 너무 벅차서 패밀리 닥터를 찾았지 그런데 이게 웬 말이야 트라우마가 생겼다고 해 이대로 일을 지속하는 건 위험하니 당장 하는 일을 멈추라는 거야 치료를 받아야겠다며 정신과 의사를 소개했지 내 몸과 마음에 대해 잘 아는 사람이라면 아내와 나를 빼놓고 누가 또 있겠나 싶었는데 마음에 병이 생겼다고 당장 고쳐서 써야 한다지 뭐야 하라는 대로 따를 수밖에 별다른 재간이 없더라고 스페셜리스트를 만나서 결혼생활 가족관계 직장에서 있었던 일까지 모두 다 훌훌 털어놓게 만들더군 이민 와서 발버둥 치며 살다 쌓인 분노 슬픔 불안 그리고 소외감까지 모두 다 까발리고 나니 속이 시원하긴 했어 한편으로는 허전하기도 했고 속의 것 다 드러낸 채로 도와달라며 매달리고 있는 내 모습이 나잇값도 못 하는 것 같아 가련한 생각마저 들었어 그러다 보니 한편으론 처량하기도 했지. 하지만 엎어진 김에 쉬어간다 했고 쉬어가야 더 멀리 갈 수 있다고도 했잖아 이번을 계기로 삶을 반추하고 변화할 기회로 여겨야 한다고 다짐을 했지 잘 견디고 이겨내겠다고 홀로 약속도 했어 어찌 됐든 기왕에 손보는 거 튼튼하게 고쳐서 앞으로는 탈 없이 살았으면 좋겠다는 생각만 잔뜩 했지 문득 패밀리 닥터가 해준 말이 귓가를 떠나지 않더군 어떤 경우든지 최선이 으뜸이지만 차선도 나쁘지 않은 선택이라고 했어 그리고 이런 말도 했지 세월이 흐르면 점점 노화되는 거잖아요 몸의 변화를 편하게 받아들이세요 그것부터 인정해야 건강에 이롭습니다 혹시나 몸에 이상이 있더라도 너무 완벽하게 고치겠다고 무리하지 마세요 노년에는 완전하게 고칠수도 없는 거니까요 적당히 수리하면서 살살 달래가며 쓴다고 생각하는 게 현명한 거예요 맞아 내 나이를 생각해야지 곰곰이 짚어 보니 구구절절 옳고 백번 천번 맞는 말이더라고 여태껏 고집대로 살면서도 그럭저럭 운 좋게 잘지냈던 거야 하지만 이제는 형편이 달라진 걸 인정하고살아야겠어 다짐을 했어 이제부터는 어떤 일이 있어도 패밀리 닥터의 조언을 잘 받아들이고 조심조심 살아야겠다고 말이야

폭식(暴食)

　또 엄청나게 먹은 걸 보니 아직도 멀었구나 굶는 아이들도 많다는데 부끄러운 줄 알아야지 육순을 훌쩍 넘긴 지도 오랜데 아직도 맛에 미혹되어 쩔쩔매고 있으니 배부르면 숟가락 내려놓는 다섯 살 손자 보다 못났구나 먹는 것도 조절하지 못하는 처량한 존재 정신 차리고 생각 좀 하면서 살아야 해 처음부터 다시 오늘부터 다시 시작하는 거야 수저를 들기 전에 한마디 "폭식은 금물!"

하루살이

인연 따라왔다가
제풀에 가시굴레 뒤집어쓰고
이리저리 나락을 헤매다
여지없이 사라지는
애달픈 몸부림

흩날리는 먼지 같은
스러지는 안개 같은
흩어지는 햇살 같은
지나가는 바람 같은
산란한 춤사위

벗님들아
집착의 끈 풀어 헤치고
공삼매 좇으며 춤을 추어라
생극의 숨박질 다하도록
쉼 없이 추어라

한밤중에

개 짖는 소리에 놀라
잠에서 깨었다

너는
낮에는 친구 되어 기쁨을 주고
밤에는 잠을 설쳐가며 돌보는구나
반려견답게
네 몫을 다하는구나

나는
밤낮 사랑하겠다고 다짐하면서도
상처 남는 짓만 되풀이하고
반려자는커녕
미운 짓만 하는구나

그래 나는
자식 노릇도 못 했고
남편 구실도 못 했고
아비 역할도 제대로 못 했으며
할아비 노릇도 신통치 못하다

남은 세월이라도
곱게 살다 가야 할 텐데
너만큼이라도 살아야 하는데
제대로 살아야 하는데
달라져야 하는데

울적함을 달래려 하는데
어느새 날이 밝는다

할매의 변(辯)

　바리실마을에서 일밖에 모르는 남편을 만나 사과 농사
로 아이들 키우다 허리 수술을 두 번이나 받았어. 지금도
허리를 똑바로 펴지 못한 채 살지만 자식들이 착해서 고
만고만하게 잘사니 괜찮아. 몇 년 전에 또 큰 수술을 했을
때는 큰아들이 한마디 말도 안 하고 사과나무를 다 베어
버렸지. 금쪽같이 착한 아들이야. 할배는 일밖에 모르는
철부지이지. 하루는 면장님 권유로 가훈을 지어 액자를
들고 왔는데, 세상이 놀라 자빠질 걸작이었어. "황소 같이
일하자." 나는 뒤집혔지. 시어머니도 소띠요 나도 소띠인
데, 죽을 때까지 일만 하자는 남편의 발상이 기막혔던 거
야. 참으로 억장이 무너질 지경으로 미운 남편이지만, 그
래도 평생 나를 끔찍이 아낀 착한 구석 하나는 있으니 괜
찮아. 우리는 오늘도 고추밭에 나가 함박웃음을 지으며
고추를 실컷 땄어. 80줄 할배와 60년 가까이 농사지으며
해로(偕老)했으니, 이만하면 됐어. 더 바랄 건 없고, 건강
하게 살다가 한날한시에 같이 가면 참 좋겠어.

**註) TV 프로그램을 시청하고 쓴 글.

합창 예찬

별빛 찬란한 화요일 밤
음악을 사랑하며
아름다운 세상을 꿈꾸는 사람들
손을 잡는다

열정적인 단원들
헌신적인 반주자
천상의 소리로 이끄는 지휘자
모두 하나가 된다

교회 강당은 콘서트홀로 변신하고
내 소리를 다듬어 가며
남의 소리까지 함께 호흡하면서
어우러진 음악을 가꾸어 간다

이민 생활의 고단함과
허전함을 내려놓고
숨어있던 열정을 맘껏 드러내며
즐거이 노래한다

청아하고 우렁찬 소리로
하모니는 꽃을 피우고
곱디고운 멜로디는 나비 되어
하늘에서 춤춘다

극진한 예술이다
힐링 향연이다

자신을 달랠 줄 알고
이웃을 아낄 줄 아는 사람들이
혼신의 힘을 다해 펼친
10년 세월

보살펴준 교민들께 감사하고
함께한 모든 이들이 고맙다
더없이
자랑스럽다

합창이여
그대는 축복이다
합창이여
그대는 사랑이다

캘거리 한인 합창단이여
영원히 빛나라

*註) 합창단 10주년 기념 헌시(獻詩)

해소(解消)

티끌이 싫으면 훔쳐요
자국이 싫으면 닦아요
허물이 싫으면 치워요

생각이 싫으면 버려요
환경이 싫으면 떠나요
사람이 싫으면 잊어요

행복한 사람

오늘
하루를
맘껏
여닫은
나는
행복한
사람
입니다

행자(行者)의 하소연

마음 밭 갈아엎어 대원(大願)을 심어놓고
날마다 염원(念願)하며 쉼 없이 가꾸는데
무시로 잡초(雜草)만 무성하니 어찌하면 좋은가

홀연히 떠날 사람아

언젠가는
홀연히 떠날 사람아
함께하는 동안
아끼며 살자
살아온 날들 까마득하지만
막상 돌아보니
바람처럼 스쳐 가지 않았느냐
부끄럽지 않더냐
속상하지 않더냐
우리에게 남은 날들
그 또한 바람처럼 지나갈 텐데
덧없는 세월
붙잡지도 못하고
막을 수도 없지 않으냐
이다음 어떤 날에
외따로 눈물짓지 않으려면
함께하는 동안
아끼며 살자

화두(話頭)

간절하게 붙잡으려 씨름해도
여차하면 놓쳐버리는 생명줄
쫓아가며 쩔쩔매는 까막잡기

화엄(華嚴)

동장군(冬將軍) 견디어 낸 다홍(紅)빛 동백꽃을
직박구리 백안작이 절창(絶唱)으로 위로하니
불현듯 오묘한 서광(瑞光)이 온누리를 감싸누나

*註) 화엄: 만행(萬行)과 만덕(萬德)을 닦아 덕과(德果)를 장엄(莊嚴)
하게 함

후회하지 않으려면

이다음에
후회하지 않으려면
조심스레
오늘을 살아야 해

사람답게
올바로 살아야 해
모두에게
항상 감사해야 해

분명하게
약속을 지켜야 해
겸손하게
돌보며 살아야 해

이다음에
후회하지 않으려면
조심스레
오늘을 살아야 해

훈습(薰習)

꿈결에
내 꼴 보고
참담한 맘으로
기도했고

샐녘엔
나 역겨워
수치심 하나에
매달렸다

밤사이
도둑눈 찾아와
졸가리마다
소복하구나

힘내어
창문 여니
샛바람
시원하고

밤새가

울고 가니

눈꽃이

흩날린다

*註) 훈습: 우리가 행하는 선악이 없어지지 아니하고 반드시 어떤 인상
이나 힘을 마음속에 남김을 이르는 말.

[해설]

가슴을 먹먹하게 하는 시
오봉옥(시인, 서울디지털대학교 교수)

선우보의 시들을 읽었다. 가슴이 먹먹했다. 글이나 말로만 읽고 들었던 이민자의 삶과 정서가 리얼하게 펼쳐져 있었다. 이방인으로서의 애환이 가슴에 와 닿았고, 디아스포라의 노래가 가슴에 꽂혔다.

개같이 벌어서 정승같이 살면 된다고?
나는 소처럼 일하고 사람답게 살겠어!
　　　　　　　　　　-<개같이 벌어?> 전문

이방인으로서 살아남기 위해서는 개나 소처럼 일을 해야만 한다. 이 단시(短詩)는 선우보의 삶과 정서를 여실히 드러내고 있다. '개같이 벌어서 정승같이 쓴다'는 속담은 수단(手段)과 방법(方法)을 가리지 않고 돈을 벌어서라도 보람 있게 돈을 쓰자는 의미를 담고 있다. 그 말은 역으로 정승처럼 떵떵거리고 살기 위해서는 수단과 방법을 가리지 않고서라도 벌어야 한다는 의미를 지닌다. 그는 이 말을 거부한다. '개' 같은 존재로서가 아니라 '소' 같이 우직한 존재로서 역경을 이겨내겠다고 다짐한다. 돈을 버는 일 또한 '정승'처럼 떵떵거리고 살기 위해서가 아니라 '사람답게' 살기 위해서라고 강변한다. 이 시는 선우보의 자존감을 느껴지게 한다. 꾀부리지 않고 우직하게 일하며 살고자 하는 의지, 사람답게 바르게 살고자 하는 의지가 읽혀져 가슴을 먹먹하게 한다.

당신께 물었더니
국화를 좋아한다 했죠

석 달 만에 결혼하고
아들 둘 기르며
바쁜 나날 보냈지요

이민을 꿈꾸며
국화가 담긴 한국화를
당신에게서 구했어요

마음 담긴 글귀를
그림 곁에 앉혀
정갈한 액자에 담았지요

캐나다로 이민 와서
바람처럼 살았습니다

아들 둘 분가하고
손자 손녀 셋이 되니
감사함 만 남았네요

은퇴할 날 가까와지니
저 액자 속 국화가
나를 위로하네요

곱디곱던 당신은
흰머리 쓸어 올리는
이쁜 할매 되었군요

소탈한 마음이 좋아서
결혼을 원했던 나
미안함만 가득합니다

함께하지 않았다면
나 이렇게 살아 있을까
고마울 뿐 입니다

국화는 날이 찰수록
향기롭다고 했나요

초겨울 국화처럼
사랑 하나로 산 당신은
아름다운 사람입니다

　　　　　　　　-<국화한갱향(菊花寒更香)> 전문

　이 시는 시인이 결혼 40주년을 기념하여 아내에게 바치는 헌시이다. '국화'를 좋아하는 아내는 '아들 둘 기르며 바쁜 나날'을 보내다가 '캐나다'로 이민 가서 '아들 둘 분가하고 손자 손녀 셋'을 둔 할머니가 된다. '곱디고운' 아내가 '흰머리 쓸어올리는 할매'가 되었으니 시적 화자는 미안함과 감사함이 교차하는 마음을 갖는다. 시인은 이 시의 각주에서 아내에 대해 '이 못난 사람을 만나 지난 40년 동안 헌신한, 착하고 반듯하고 하늘을 따르고 순종하며 자식 농사 잘 지은 사람'이라고 밝히고 있다. 아내에 대한 그런 마음을 한마디로 드러낸 게 '국화한겨향'이라는 제목이다. 국화는 날이 찰수록 향기롭다는 말. 아내는 '사랑' 하나로 이민자의 삶을 견뎌온 미안하고도 고마운 사람이다. 그런 역경 속에서도 '아들 둘 분가' 시켜 '손자 손녀 셋'을 본 우직한 사람이었으니 어찌 향기롭지 않을 것인가. 사람은 살면서 닮아간다는 말이 있다. '소'처럼 우직한 삶을 살고자 한 시인과 온갖 역경을 견뎌내면서도 '아들 둘'을 훌륭하게 키워낸 아내의 모습은 오버랩된다. 이민자로서의 삶과 정서를 극명하게 드러낸 시는 <트라우마>이다.

코비드 팬데믹 중 일하다가 충격받은 일들이 반복되었어 스트레스가 쌓이고 너무 벅차서 패밀리 닥터를 찾았지 그런데 이게 웬 말이야 트라우마가 생겼다고 해 이대로 일을 지속하는 건 위험하니 당장 하는 일을 멈추라는 거야 치료를 받아야겠다며 정신과 의사를 소개했지 내 몸과 마음에 대해 잘 아는 사람이라면 아내와 나를 빼놓고 누가 또 있겠나 싶었는데 마음에 병이 생겼다고 당장 고쳐서 써야 한다지 뭐야 하라는 대로 따를 수밖에 별다른 재간이 없더라고 스페셜리스트를 만나서 결혼생활 가족관

계 직장에서 있었던 일까지 모두 다 훌훌 털어놓게 만들
더군 이민 와서 발버둥 치며 살다 쌓인 분노 슬픔 불안 그
리고 소외감까지 모두 다 까발리고 나니 속이 시원하긴
했어 한편으로는 허전하기도 했고 속의 것 다 드러낸 채
로 도와달라며 매달리고 있는 내 모습이 나잇값도 못 하
는 것 같아 가련한 생각마저 들었어 그러다 보니 한편으
론 처량하기도 했지.

-<트라우마> 중에서

　이 시는 '트라우마'를 겪고 있는 화자의 삶을 적나라하
게 드러내고 있다. 이민자인 시적 화자는 '정신과 의사'
앞에서 '이민 와서 발버둥 치며 살다 쌓인 분노 슬픔 불안
그리고 소외감까지' 모두 다 털어놓게 된다. 그는 더 이상
일을 지속할 수 없을 정도로 건강이 악화될 때까지 견디
고 또 견디며 살아온 사람이다. 지금껏 '이민 와서 발버둥
치며 살다 쌓인 분노 슬픔 불안 그리고 소외감' 등을 안으
로 삭이며 살아온 사람이고, 자신의 몸과 마음에 대해 '잘
아는 사람이라면 아내와 나를 빼놓고 누가 또 있겠냐' 싶
어 병원조차 애써 외면하며 묵묵히 살아온 사람이다. 그
리고 이제 의사로부터 '세월이 흐르면 점점 노화되는 거
잖아요 몸의 변화를 편하게 받아들이세요 그것부터 인정
해야 건강에 이롭습니다 혹시나 몸에 이상이 있더라도 너
무 완벽하게 고치겠다고 무리하지 마세요 노년에는 완전

하게 고칠 수도 없는 거니까요 적당히 수리하면서 살살 달래가며 쓴다고 생각하는 게 현명한 거예요'라는 충고를 듣게 된다.

이 시집의 묘미는 온갖 역경을 이겨내고 살아온 이민자로서의 목소리가 절절하게 다가오는데 있다.

누군가
가슴앓이 안 하고 사는 이
있는 줄 아느냐
누군가
밤잠 설치지 않고 사는 이
있는 줄 아느냐

아니다
다들 그렇게 산다
너무 슬퍼하지 말고
외로움 타지도 마라
산다는 건
다 그런 거다

살다가
눈물 흘릴 일 생기면

공원에 나가 숲길을 걸어라
탁 트인 하늘을 보고
지저귀는 새소리를 듣고
작은 풀꽃도 보아라

한참을 걷다 보면
눈 녹듯 풀릴 게다
마침내 웃고 말 게다
시원해질 거다
그러니 너무
서러워하지 마라

-<괜찮다 울지마라> 전문

    표제시이기도 한 이 시는 온갖 고통과 역경을 이겨낸 자가 후대의 사람들에게 자신의 경험에서 우러나온 이야기를 담담하게 전달하는 형식으로 되어 있다. 시적 화자는 '밤잠'을 설치고, '가슴앓이'를 하고, '슬픔'과 '외로움'을 견디며 살아온 사람이다. 슬픔과 외로움은 역경을 견뎌온 자가 느끼는 숙명적인 감정이다. 화자는 '밤잠'을 설치고 '가슴앓이'를 하는 건 누구에게나 적용되는 일이라며 '너무 슬퍼하지' 말라고 주문한다. '산다는 건 다 그런 것'이라며 '눈물 흘릴 일 생기면 공원에 나가 숲길'을 걷고 '탁 트인 하늘을 보고 지저귀는 새소리를 듣고 작은 풀꽃'도 보며 기분 전환할 것을 주문한다. 자연과 교감하다 보면 어느새 '눈 녹듯' 풀어져 '웃고 말' 것이라며 '너무 서러워하지 마라'고 위로와 격려를 보내는 것이다. '슬픔'과 '외로움'은 모든 존재들이 느끼는 보편적인 정서임을 말하며 이를 수용하고 담담하게 견디며 살아갈 것을 주문하는 것이다. 이렇게 이 시는 '근원적 고독에 대한 성찰'을 전달한다.

시장에서 아낙네가 이런 말을 했다.
"내가 싫은 걸 어찌 시키노?"

논어에서 공자님이 이런 말을 했다.
"己所不欲 勿施於人(자기가 하기 싫은 일은 남에게도 하게 해서는 안 된다.)"

성경에서 예수님이 이런 말을 했다.
"Love your neighbor as much as you love yourself. (네 이웃을 네 몸과 같이
사랑하라.)"

세 사람 하는 말 다 똑같은 기라.
무어시 다르노?

남 괴롭히지 말고 착하게 살면 되는 기라.

그라문 된다!

-<그라문 된다> 전문

이 시는 자신의 인생 철학을 담담한 어조로 전달하고 있다. '남 괴롭히지 말고 착하게' 사는 게 중요하다는 인생 철학. '소처럼 일하고 사람답게 살고자 하는' 그의 인생 철학이 특별하게 느껴지는 것은 그러한 말들이 경험에서 우러나오기 때문이다. 그는 진리를 '공자님'이나 '예수님' 같은 성현들의 특별한 말에서 구하지 않는다. 진리는 모두가 공감할 수 있는 경험에서 나오는 것. 그러기에 성현들의 말과 '시장 아낙네'의 말이 같을 수밖에 없다는 것이고, 진리는 거창한 게 아니라 '남 괴롭히지 말고 착하게 살면 되는' 지극히 평범한 거라는 것이다. 이 시의 묘미는 이 평범함에서 찾는 진리에 맞게 구어체를 실감나게 사용하는 데 있다. 이 시의 방언을 표준어로 고친다면 그 맛은 사라져버릴 것이다. 그런 점에서 이 시의 구어체 사용은 시적 실감을 배가시키는 절묘함을 지니고 있다고 할 수 있다.

화창한 봄날 냉동고에서 종이봉투를 꺼내 조심스레 들여다본다 모두 곤히 잠자고 있다 반가운 맘은 잠시뿐 잘

살아 줄까 걱정부터 앞선다 간절한 마음으로 쓰다듬는
다 접시에 자박자박하게 생수를 붓고 키친타올로 요를 깐
다 아기들을 살포시 눕혀놓고 이불을 덮어준다 자리를 찾
아 기웃거리다 양지바른 창가에 방을 꾸린다 조바심쳐 가
며 몇 날 며칠을 살피고 또 살핀다 지루하지만 미세한 숨
결만은 느낄 수 있어 좋다 아침나절에 아내가 야단스럽게
소리쳐 부른다 얼른 좇아가 가리키는 곳을 보니 희고 여
린 몸이 애 고부라져 꼬물꼬물 고개를 쳐들고 일어나 있
다 신비롭다 서로 환한 웃음을 주고받으니 평화롭다 아침
이슬만큼이나 영롱하고 아름다운 순간이다 올해도 변함
없이 멋진 드라마를 펼치는 너희들이 사랑스럽고 더없이
자랑스럽다

　　　　　　　　　　　　　　　　-〈새싹맞이〉 전문

　이 시는 새싹을 맞이하는 기쁨을 노래하고 있다. '새싹
맞이'는 선우보 시인이 만든 신조어이다. 시는 '화창한 봄
날 냉동고에서 종이봉투를 꺼내 조심스레 들여다보는' 것
으로 시작한다. '곤히 잠자고' 있는 꽃씨들. 시적 화자는
마치 아이를 바라보듯이 '꽃씨'를 바라보고 '간절한 마
음'으로 쓰다듬는다. 나아가 아이의 방을 꾸미듯이 '양지
바른 창가에 방'을 꾸민 뒤 '접시에 자박자박하게 생수를
붓고 키친타올로 요'를 깔고서 '살포시 눕혀 이불'을 덮
어준다. 꽃씨를 대하는 시적 화자의 여린 마음이 실감 난

묘사로써 드러나고 있다. 동작 하나하나가 조심스럽고, 그에 대한 여린 마음이 갸륵하다. 이 시의 실감은 다양한 감각적 이미지를 사용하는 데에서 온다. '꼬물꼬물 고개를 쳐들고 일어나는' 꽃씨를 시각적 이미지로써 드러내고, 꽃씨의 '미세한 숨결'을 청각적 이미지로써 드러내며, 꽃씨를 쓰다듬는 행위로써 촉각적 이미지를 보여준다. 그리고 이러한 행위들을 통해 꽃씨와의 교감을 노래한다. 꽃씨 하나에도 '한울'이 깃들어 있는 법이다. 이 시는 꽃씨를 심고 보살피는 과정을 통해 생명의 가치를 보여준다.

바리실마을에서 일밖에 모르는 남편을 만나 사과 농사로 아이들 키우다 허리 수술을 두 번이나 받았어. 지금도 허리를 똑바로 펴지 못한 채 살지만 자식들이 착해서 고만고만하게 살고 있으니 괜찮아. 몇 년 전에 또 큰 수술을 했을 때는 큰아들이 한마디 말도 안 하고 사과나무를 다 베어버렸지. 금쪽같이 착한 아들이야. 남편은 일밖에 모르는 벽창호지. 하루는 면장님 권유로 가훈을 지어 액자를 들고 왔는데, 세상이 놀라 자빠질 걸작이었어. "황소같이 일하자." 나는 뒤집혔지. 시어머니도 소띠요 나도 소띠인데, 죽을 때까지 일만 하자는 남편의 발상이 기막혔던 거야. 참으로 억장이 무너질 지경으로 미운 남편이지만, 그래도 평생 나를 끔찍이 아낀 착한 구석 하나는 있으니 괜찮아. 우리는 오늘도 고추밭에 나가 함박웃음을 지으며 고추를 실컷 땄어. 80줄 할배와 60년 가까이 농사지으며 해로(偕老)했으니, 이만하면 됐어. 더 바랄 건 없고, 건강하게 살다가 한날한시에 같이 가면 참 좋겠어.

-〈할매의 변(辯)〉 전문

이 시 역시 〈그라문 된다〉와 마찬가지로 구어체의 절묘함을 보여주고 있다. '할매의 변'이라는 제목 그대로 할머니의 독백을 너무도 자연스럽게 들려주고 있다. 시적 화자인 '할매'의 목소리를 따라가다 보면 농사를 짓고 사는 한 가정의 삶이 보이고, 그 집안 구성원들의 눈물겨운 정서가 펼쳐진다. '큰 수술'을 받고도 다시 농사를 짓겠다고 나설 부모님을 걱정하며 '사과나무'를 베어버린 아들의 마음, '황소 같이 일하자'는 가훈을 지어와 사람 속을 뒤집어놓은 미운 남편, 그러면서도 아내를 '끔찍히 아끼며' 살아가는 남편의 착한 심성, '80줄 할배와 60년 가까이 농사지으며 해로(偕老)'했으니 이만하면 됐다고, 더 바랄 게 없다고, 그저 '건강하게 살다가 한날한시에 같이 가면 참 좋겠다'고 말하는 '할매의 변'이 눈시울을 적신다. 이 시는 절창이다. 구어체가 안겨주는 시적 실감, 안정감 있는 시적 구성, 그리고 감동적인 내용 등이 그것을 대변한다.

선우보 시인의 시들은 물 흘러가듯 자연스럽다. 시를 풀어가는 데 있어 억지스러운 데가 없고, 살아온 만큼 시의 내용 또한 풍요롭다. 난 그의 시집원고를 한상차림을 받아든 느낌으로 읽고 또 읽었다. 그의 시들은 다채로웠다. 한식의 묘미가 다채로움에 있듯이 그의 시는 온갖 역경을 이겨내고 살아온 경계인으로서의 절절한 목소리, 연륜에서 나온 오랜 묵은 감성과 삶의 예지, 가슴에 와 닿는 시적 형상 등 여러 가지 면을 동시에 보여주고 있었다. 거기에다 잔손이 많이 가는 우리나라 음식처럼 시 한 편 한 편을 정성껏 갈고 다듬었다는 느낌을 주니 믿음이 가지 않을 수 없었다. 읽어볼 만한 시편들 역시 많았다. 해설에서 다룬 시들 이외에도 <두려운 세상>, <들꽃처럼>, <사랑에 관하여>, <새로운 일상>, <석불이 되고 싶어라>, <안 그렇소?> 등이 눈길을 사로잡았다. 그의 시들을 읽고 나는 가슴이 먹먹했다. 이민자의 삶이 그렇고, 경계인으로서의 정서가 그랬다. 그런데도 그는 나에게 '괜찮다 울지마라' 하고 되려 위로하고 있었다. 오늘 묵직한 시인 하나를 소개하는 기쁨이 크다. 일독을 권한다.